La princesse transformée en steak-frites
et autres histoires

Christian Oster

La princesse transformée en steak-frites

et autres histoires

Illustrations de Pascal Lemaître

Neuf
l'école des loisirs
11, rue de Sèvres, Paris 6e

Loi n° 49.956 du 16 juillet 1949 sur les publications
destinées à la jeunesse : mars 2008
Dépôt légal : mars 2008
Imprimé en France par Mame Imprimeurs
à Tours

ISBN 978-2-211-09140-4

SOMMAIRE

La princesse transformée en steak-frites

Il était une fois un prince qui cherchait une princesse. C'était moins ennuyeux, comme occupation, que de passer de longs après-midis au palais à ne rien faire. En plus, en cherchant une princesse, le prince savait qu'il aurait peut-être à combattre un dragon ou autre chose, ce qui lui permettrait de prendre de l'exercice. Comme il avait un peu de ventre à cause de son alimentation trop riche, ça tomberait très bien.

Le prince prit la direction de la forêt. Pour trouver une princesse, c'était plus sûr. Il en existait aussi dans les châteaux, naturellement, qui faisaient de la tapisserie en attendant le mariage, mais le prince ne courait pas après les princesses de château, il les jugeait trop molles. Il préférait les princesses de forêt. Les princesses de forêt sont moins faciles à trouver et, en général, elles ont des problèmes. Soit elles ont été enlevées, soit on leur a jeté un sort. Mais, justement, c'est plus excitant.

Le prince commença par rencontrer un loup.

– Bonjour, loup, lui dit-il. Je cherche une princesse qui aurait un problème. Tu n'en pas vu ?

– M'intéresse pas aux princesses, moi, grommela le loup. Encore moins aux princesses qui ont des problèmes. Enfin, si ça peut t'aider, il y en a une qui dort depuis cinquante ans, à ce qu'il paraît, au milieu d'une clairière. Mais, comme je te l'ai dit, elle dort comme un ange, elle n'a pas l'air d'avoir de problèmes.

C'était un loup peu instruit, qui ne savait pas ce que c'était qu'une belle au bois dormant. Le prince, lui, le savait. Une belle au bois dormant, ça se réveille avec un baiser, après ça, si tout se passe bien, on l'épouse, et le tour est joué.

– Merci du renseignement, loup, dit-il.

Évidemment, le prince savait aussi que quelqu'un lui avait jeté un sort, à cette princesse. Quelqu'un de pas très commode. Ça ne lui faisait pas peur, au contraire. Et il fouetta son cheval.

Parce qu'il était parti à cheval, j'ai oublié de le dire.

Il arriva droit sur la clairière. C'était une clairière superfacile à trouver, ça arrive. Et, au beau milieu de la clairière, une belle au bois dormant dormait.

Elle était, comme beaucoup de princesses condamnées au sommeil, enfermée dans un cercueil de verre. Le prince descendit de cheval et s'approcha. Il posa son oreille sur le couvercle et vérifia que la princesse respirait. Non seulement elle respirait, mais elle ronflait légèrement. « Très bien », se dit-il.

Il sortit des soutes de son cheval une boîte à outils qu'il avait toujours sur lui et qui lui servait à démonter son armure quand elle était bloquée. Et il commença à dévisser le couvercle du cercueil.

On a compris que ce n'était pas un vrai cercueil, puisque la princesse n'était pas morte.

Mais ça fait plus impressionnant de dire « cercueil ». C'est pour que l'histoire soit plus prenante.

Et le prince dévissa le couvercle en moins de temps qu'il n'en faut pour le dire. Il était très habile de ses mains. Il déposa le couvercle dans l'herbe.

« Bon, se dit-il. Maintenant, le baiser. »

J'ai encore oublié de dire quelque chose : la princesse était très belle.

Plus que ça, même.

Et le prince l'avait tout de suite remarqué.

Bref, il venait d'en tomber amoureux.

Il tremblait d'émotion quand il se pencha vers elle.

Il l'embrassa tout de même.

Mais il ne se passa pas du tout ce qu'il avait prévu.

Le prince, quand ses lèvres eurent effleuré les lèvres de la princesse, se retrouva nez à nez avec une assiette.

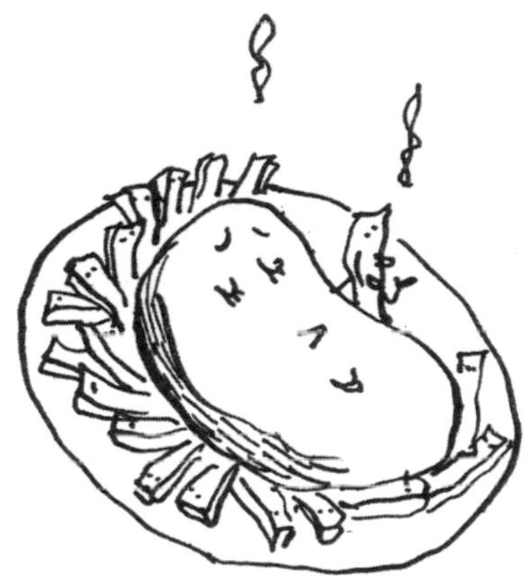

À la place de la princesse, il y avait, dans cette assiette, quelque chose qui pour vous n'est pas une surprise, parce que vous avez lu le titre de l'histoire.

Mais le prince, lui, ne la connaissait pas, l'histoire. Il fut donc très surpris de se retrouver nez à nez avec un magnifique steak-frites.

Et ce n'était pas une bonne surprise.

Car le prince adorait les steak-frites.

Et que, à chevaucher comme il l'avait fait depuis le matin, il avait grand faim.

Il était donc très ému à la vue de ce steak-frites.

Mais il était également amoureux de la princesse.

En somme, il était bien embêté.

D'autant plus embêté qu'une des frites, très fine, parfaitement croustillante, prit la parole.

– Merci de m'avoir éveillée, beau prince, lui dit-elle. C'est toi que j'attendais. Car il est dit que nous nous aimerons jusqu'à la fin de nos jours.

– Absolument ! s'écrièrent les autres frites en chœur. Nous nous aimerons jusqu'à la fin de nos jours !

– Et ce n'est pas moi qui dirai le contraire ! intervint à son tour le steak. Nous nous aimerons tendrement !

– Hé là ! fit le prince. Comme vous y allez ! D'abord, j'ignore qui d'entre vous est la princesse que j'aime. Je vous trouve bien nombreuses, tout d'un coup.

– Mais nous sommes toutes la princesse que tu aimes, répondirent en chœur les frites.

– Et moi aussi, intervint le steak. Nous sommes une seule et même personne.

– Soit, convint le prince. Mais je ne sais que faire. De qui dois-je prendre la main ?

– Tu n'as aucune main à prendre, répondit la

frite qui avait parlé la première. Maintenant que la princesse que nous étions est devenue ce que nous sommes, c'est-à-dire des frites...

– ... et un steak, intervint le steak.

– ... bref, reprit la frite, maintenant que je n'ai plus de mains et que je suis devenue ce que tu vois, une princesse-steak-frites, si tu m'aimes encore, tu dois me manger.

– Mais... je n'ai pas faim, mentit le prince.

– Alors emmène-moi et garde-moi au chaud en attendant de retrouver l'appétit, rétorqua la princesse-steak-frites.

– D'accord comme ça, fit le prince.

Bien qu'il mourût de faim, il était content que la princesse lui eût proposé cette solution. Ça lui permettait de gagner du temps. Mais il ne savait pas comment emporter l'assiette. Sur son cheval, elle risquait de se renverser.

Il prit cependant l'assiette et la transporta avec précaution juqu'à son cheval. Là, de nouveau, il hésita.

– Allez, fit la princesse. Monte-moi sur ton cheval. Il doit bien y avoir une table, dans ton palais.

– Bien sûr, bien sûr, fit le prince.

Mais il ne savait toujours pas comment poser

l'assiette sur son cheval sans qu'elle se renverse. De sa main libre, il se gratta la tête. Au même moment, une sorcière parut.

C'était une sorcière dégoûtante. Avec crapauds qui lui sortaient de la bouche, toiles d'araignée dans les cheveux et verrue sur le nez. Elle tombait bien : ça lui coupa l'appétit.

– Je vois que tu as délivré cette belle princesse du sommeil, lui déclara-t-elle. Et que tu es bien embêté parce que je lui ai jeté un second sort : j'ai décidé que, lorsqu'un prince l'éveillerait d'un baiser, ce prince serait affamé et cette princesse se transformerait en steak-frites. Pas mal, non ?

– Ouais, pas mal, fit le prince. Dès que j'aurais un moment, je t'embrocherai de mon épée. Je compte sur toi pour m'y faire penser, parce que, en ce moment, j'ai d'autres soucis.

– Je vois ça, rétorqua la sorcière. Tu te demandes comment tu vas t'y prendre pour transporter ta chère princesse sur ton cheval sans qu'elle se renverse.

– Exactement.

– Heureusement que je suis là ! s'exclama la sorcière en crachant trois crapauds qui, par chance, n'atterrirent pas dans l'assiette, mais dans l'herbe. Je vais t'arranger ça. Abracadabra, abracadabro, enchaîna-t-elle, que ce steak-frites se transforme en Makdo ! Uniquement pour le transport, ajouta-t-elle.

Et, à la place de l'assiette et du steak-frites qu'elle contenait apparut dans la main du prince un sac en papier contenant un hamburger Royal Bacon et une part de frites dans un cornet.

– Je ne sais pas si je dois te remercier, fit le prince.

– Comme ça, ça ne se renversera pas et ça restera au chaud jusqu'au palais, dit la sorcière. Je ne t'ai pas mis de Coca, précisa-t-elle. Je suppose que, lorsque ce hamburger-frites sera redevenu steak-frites, à ton arrivée au palais, tu préféreras un verre de vin.

Et hop, trois autres crapauds lui sortirent de la bouche.

– Comme je te l'ai dit, je te perce de mon épée dès que j'ai un moment, rétorqua le prince.

Et, ayant introduit le sac en papier dans ses soutes, il fouetta son cheval.

En chemin, malheureusement, dans une autre clairière, il passa devant une table de pique-nique. Trois chevaliers y festoyaient bruyamment.

– Ça ne m'étonnerait pas que nous passions en ce moment devant une table de pique-nique ! lui lança la princesse-Makdo, du fond du sac en papier.

C'est l'occasion ou jamais de me prouver que tu m'aimes et de me déguster ! Arrête-toi donc !

Le prince eût bien voulu dire qu'il était pressé, qu'il préférait rejoindre son palais le plus vite possible, mais il n'en eut même pas la possibilité : les trois chevaliers, qui mordaient avec appétit dans d'énormes sandwiches, le saluèrent :

– Holà, prince ! fit le premier. Viens donc nous rejoindre à table ! Tu dois être fourbu et affamé d'avoir tant chevauché.

– Sois le bienvenu ! s'exclama le deuxième. Et sors donc ton sandwich de tes soutes pour nous accompagner !

– Je vois que toi non plus tu n'as pas trouvé encore de princesse, collègue, lui cria le troisième. Console-toi avec nous en faisant une pause pour le déjeuner !

Le prince était terrifié. Par peur de vexer les chevaliers, il descendit de cheval et vint les rejoindre à la table de pique-nique. Mais il n'avait pas sorti le sac en papier de ses soutes.

– Pas de sandwich ? fit le premier chevalier.

– Je n'ai pas eu le temps de m'en préparer un, répondit le prince. J'étais trop pressé de trouver une princesse.

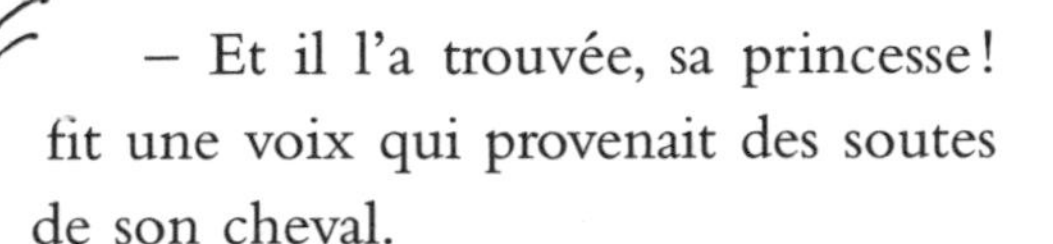

– Et il l'a trouvée, sa princesse ! fit une voix qui provenait des soutes de son cheval.

– Et il a tout à fait de quoi pique-niquer, en plus ! fit une autre voix qui provenait de la même direction.

– On dirait que ces voix proviennent des soutes de ton cheval, observa le deuxième chevalier.

– Ah oui ? fit le prince.

– Ne te moque pas de nous ! intervint le troisième chevalier. Il y a quelqu'un dans les soutes de ton cheval. Et même plusieurs personnes. Je suppose que tu le sais.

– Pas du tout, protesta le prince.

– Je ne… suis pas… plusieurs… personnes, fit une troisième voix, que le prince reconnut pour être celle du steak, un peu hachée entre les deux tranches de pain. Je suis une seule personne. Et cette personne, c'est la princesse que mon prince a trouvée et qu'il aime !

– Tu transportes une princesse dans les soutes de ton cheval ! s'exclama le premier chevalier. Ainsi, tu nous l'as cachée !

– Nous sommes très vexés ! protesta le deuxième chevalier. Tu nous rendras raison de cet affront !

Et il sortit de table, l'épée à la main.

Le troisième l'imita.

Le premier aussi.

La jalousie déformaient les traits de leurs visages.

– Attendez, fit le prince. Comment voulez-vous qu'une princesse tienne dans les soutes de mon cheval ? C'est impossible.

– Rien n'est impossible, rétorqua le premier chevalier. Surtout en forêt !

– C'est vrai ! Rien n'est impossible ! fit la voix d'une frite.

– Ah, tu vois ! fit le deuxième chevalier en menaçant le prince de son épée.

Et le prince dut se mettre en garde. Il dut faire face aux trois chevaliers. Il se battit vaillamment, si vaillamment qu'il les tua tous les trois. C'était bien triste, parce qu'il s'agissait de braves garçons. Mais le prince n'avait pas eu le choix.

– Vous voyez ce que vous me forcez à faire, princesse, dit-il aux soutes de son cheval. Tout cela parce que vous vous montrez impatiente. Je vous supplie d'attendre sagement que nous arrivions au palais. Là, c'est promis, je vous mangerai. D'ailleurs, j'ai très faim.

Il avait dit la vérité. Comme il avait oublié un peu l'horrible visage de la sorcière, il avait de nouveau très faim. Mais il en était malade. Jamais de la vie il n'aurait mangé la princesse qu'il aimait. Et il refouetta son cheval.

Malheureusement, cette fois, un dragon lui barra la route.

– Il me semble avoir senti une fort bonne odeur de princesse, lui déclara-t-il, toute langue sortie. Pourtant, je ne vois pas de princesse. Où la caches-tu ?

– Nulle part, lui répondit le prince. Ce n'est pas une odeur de princesse que tu as sentie, c'est une odeur de frites.

– Pardonne-moi, lui dit le dragon, je sens bien une odeur de frites, mais cette odeur est mêlée à une odeur de princesse. On dirait que cette princesse-là a travaillé longtemps dans une cuisine. Je ne sais pas où tu la caches si habilement, mais en attendant je vais te tuer, je la chercherai après.

Et, sans plus tarder, le dragon lança une longue flamme en direction du prince, qui eut juste le temps de faire faire un pas de côté à son cheval. La flamme le frôla. Il ne prit pas feu, mais il avait eu chaud. Le hamburger-frites aussi.

– Hé ! cria le steak, d'une voix toujours hachée.

Si ce fichu... dragon recommence... je vais être... trop cuit! J'ai... horreur de ça! Tue-le donc... mon beau prince!

– Ah, c'était donc ça! s'exclama le dragon. Tu caches la princesse dans les soutes de ton cheval! Mais je ne comprends rien à ce qu'elle raconte. Je ne comprends pas non plus pourquoi elle parle au masculin. Et je déteste ne pas comprendre!

Bref, le dragon était très en colère. Mais, surtout, ne pas comprendre l'affaiblissait énormément. Tout en prenant sa respiration pour cracher un nouveau jet de flammes, il se gratta la tête. Ce geste lui fut fatal. D'un coup d'épée, le prince trancha la patte que son adversaire avait levée en direction de son crâne. Et, comme il avait frappé très fort, du même coup d'épée, il lui trancha la tête. C'était un des combats les plus rapides que le prince eût mené contre un dragon. Les frites et le steak ne purent s'empêcher d'applaudir.

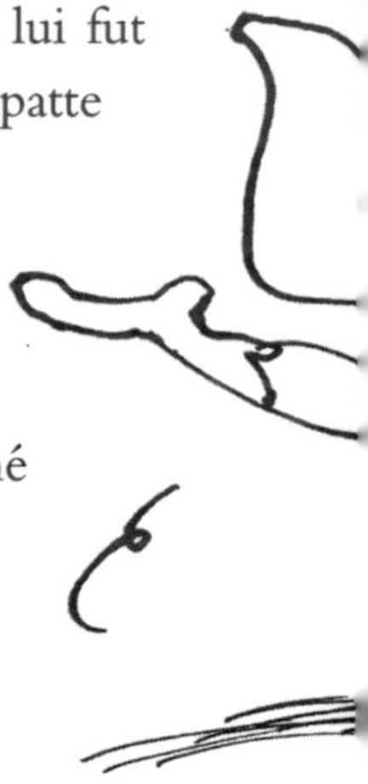

– Ça va, ça va, fit le prince. Maintenant, direction le palais et à table!

– Hourra! firent les frites et le steak.

C'est ainsi que le prince arriva au palais. Dès qu'il en eut franchi l'entrée, il sortit des soutes de

son cheval le sac en papier, et le Royal Bacon se remétamorphosa immédiatement en steak-frites. Le prince eut à peine le temps de le poser, dans son assiette, sur la table de la grande salle à manger que son père, le roi, fit son apparition.

– Ah, je vois que tu es rentré, mon fils, lui dit-il. Et que tu n'as pas trouvé de princesse. Mais ne te décourage pas, ajouta-t-il. Ce sera pour la prochaine fois.

Et il lui tapota affectueusement l'épaule.

Puis il aperçut le steak-frites sur la table.

– Je vois également que tu n'as pas perdu l'appétit. Tant mieux !

– Père... commença le prince.

– Oui ? fit le roi. Tu veux me dire quelque chose ?

– Eh bien... dit le prince. En réalité, père, j'ai trouvé une princesse. Et que j'aime, en plus.

– Alors tant mieux, tant mieux ! s'exclama le roi. Mais je ne la vois pas, cette princesse. Où est-elle donc ?

– Heu... sur la table, répondit le prince.

Il désigna le steak-frites.

– Tu te moques de moi, dit le roi.

– Pas du tout, intervint une frite dorée à souhait, en esquissant un pas de danse au milieu de l'assiette. Nous sommes, le steak qui est là et nous-mêmes, la princesse que votre fils a délivrée du sommeil. Et nous l'aimons. Et il nous aime. Et il va nous manger. Nous sommes, le steak et nous-mêmes, la princesse la plus heureuse du monde !

– Oh là, ça se corse, grommela le roi. Si vous êtes une princesse, ce que je veux bien croire malgré les apparences, il est hors de question que mon fils vous mange. Même s'il meurt de faim, ajouta-t-il en jetant un coup d'oeil sévère à son fils, qui, malgré tout son amour pour la princesse, commençait visiblement à saliver.

– C'est en effet hors de question, acquiesça le prince, qui prenait sur lui et qui hésitait, la main à demi tendue vers l'assiette, à saisir, entre deux doigts, la frite qui avait pris la parole. Je n'y toucherai pas !

Et il se donna lui-même une tape sur la main.

– Qui a transformé cette princesse en steak-frites ? lui demanda le roi.

– Une sorcière, répondit le prince.

– Et qu'attends-tu pour aller la chercher ! gronda le roi. Tu ne vois pas qu'elle seule pourra redonner à cette pauvre princesse son apparence normale ?

– Heu, c'est juste, fit le prince. J'y vais de ce pas.

Et il refouetta son cheval. Le roi, cependant, resta seul avec le steak-frites. Comme il n'avait pas faim, il n'avait pas besoin de se retenir de le dévorer, mais, comme il savait maintenant que c'était une princesse, il se sentit obligé de lui faire la conversation.

– Eh bien, commença-t-il, que font vos parents, dans la vie ?

Il s'aperçut aussitôt que sa question était stupide, puisque les parents d'une princesse, par définition, sont toujours roi et reine. Tant pis.

– J'ai un peu perdu la mémoire, répondit heureusement le steak. Cette transformation que m'a fait subir la sorcière m'a saisie, vous comprenez.

– Quoi qu'il en soit, intervint une frite, je viens d'une terre très riche, vous n'avez rien à craindre de ce côté.

– Si vous êtes satisfait de moi, Sire, fit observer une autre frite, peut-être pourriez-vous décider d'une date pour le repas.

– Vous voulez dire pour le mariage ? rétorqua le roi.

– Pour le repas de mariage, si vous préférez, répondit la même frite.

– Eh bien… commença le roi.

Mais il n'eut pas à se donner la peine de finir sa

phrase. Le prince était déjà de retour. Il n'avait jamais de sa vie capturé une sorcière aussi vite. Il avait couché celle-ci en travers de son cheval, où elle tenait beaucoup mieux en équilibre qu'une assiette.

– Allez, on est arrivé ! lui dit-il. Descendez !

La sorcière, tout ébouriffée, descendit de cheval.

– On ne m'enlève pas comme ça ! protesta-t-elle en crachant six crapauds. Vous aurez de mes nouvelles !

– Pour l'instant, vous allez vous contenter de redonner son allure normale à ma princesse, ordonna le prince.

– Jamais ! se rebiffa la sorcière.

– Très bien ! intervint le roi. Qu'on mette cette sorcière au congélateur ! Ça lui donnera le temps de réfléchir.

Des hommes surgirent, qui s'emparèrent de la sorcière. Le prince et le roi restèrent seuls avec le steak-frites.

– Il va falloir le conserver au chaud, fit remarquer le prince, en attendant que la sorcière le retransforme. Sinon, ça risque de ne pas marcher.

– Qu'on apporte ce steak-frites en cuisine ! ordonna cette fois le roi. À feu doux sur la cuisinière !

Le prince et son père se retrouvèrent seuls.

– Est-ce qu'elle est jolie, cette princesse, au moins ? demanda le roi à son fils.

– La plus belle que la terre ait jamais portée, répondit le prince.

– Il est vrai que ce steak a l'air d'excellente qualité, observa le roi. Et que ces frites semblent merveilleusement croustillantes.

– Je ne vous le fais pas dire, approuva le prince.

Ensuite, le prince, qui avait toujours très faim, se contenta d'un sandwich au pâté de campagne. Le roi l'accompagna avec une salade d'endives et de betteraves, après quoi ils prirent le café. Une heure plus tard, le roi estima que la sorcière était restée assez longtemps au congélateur pour réfléchir. Il l'en fit sortir par ses hommes. On laissa la sorcière à décongeler, ce qui lui laissa encore un peu de temps pour se décider à obéir. Enfin, quand elle recommença à bouger, au milieu d'une grande flaque d'eau, le prince lui demanda si elle était prête à s'exécuter.

– Pas du tout ! râla la sorcière en crachant trois crapauds qui, une fois tombés au sol, ne sautèrent pas le moins du monde, raidis qu'ils étaient encore par la glace.

– En es-tu bien certaine ? demanda encore le roi.

– Absolument ! siffla la sorcière en crachant trois

autres crapauds dont l'un réussit à bouger une seule patte, ce qui fut insuffisant pour qu'il pût sauter.

– Dans ces conditions, nous allons te recongeler, décida le roi. Gardes ! appela-t-il.

– Non ! cria la sorcière. Pas ça, je vous en prie !

– Aurais-tu donc peur, enfin ? lui demanda le roi.

– On ne doit jamais rien recongeler ! se plaignit la sorcière. C'est écrit dans tous les modes d'emploi de tous les congélateurs du monde ! Tout ce qu'on recongèle est avarié ! Fichu ! Bon pour la poubelle ! Je ne veux pas être bonne pour la poubelle ! Où avez-vous mis ce steak-frites, qu'on en finisse !

– Je vois que tu deviens raisonnable, fit le roi.

Et c'est aini que la sorcière fut conduite vers la cuisinière, où le steak-frites était toujours tenu au chaud.

– Abracadabra, abracadabresse, prononça-t-elle, que ce steak-frites redevienne une princesse !

Et ce qui fut dit fut fait. À la place du steak-frites, dans un jet de fumée qui sentait un peu le brûlé, la magnifique princesse réapparut sur la cuisinière, dont elle eut juste le temps de sauter pour éviter de se griller les pieds.

– Mon prince ! s'exclama-t-elle en voyant le prince.

– Ma princesse ! s'exclama le prince.

Et le mariage eut rapidement lieu. Quant au repas de mariage, il y fut servi du poisson et des légumes verts, dont chacun se régala. Plus tard, bien sûr, le prince constata que la princesse avait gardé une odeur de friture. Mais elle se dissipa dès qu'ils eurent un premier enfant, beau comme tout et potelé à souhait, et que personne, bien qu'il fût aussi appétissant qu'un rôti de bœuf, ne s'avisa de faire cuire.

La basse-cour part en forêt

Comme les fermiers étaient partis pour une semaine au bord de la mer, la basse-cour avait décidé de prendre elle aussi des vacances. C'était une idée de la poule Clothilde, qui prétendait que la vie à la ferme était monotone, et que, lorsqu'on ne sort jamais de chez soi, on finit par devenir bête.

– Parle pour toi, avait répondu le canard Henri. Moi, je suis content de ma mare, je vais m'y baigner tous les matins et je ne m'en passerais pour rien au monde. Et je me trouve très intelligent.

– C'est comme moi, avait renchéri l'oie Marie-Catherine. J'aime rester chez moi à me dandiner et à faire la fière. J'ai mon public, ici. Et je me trouve très intelligente.

– Et moi, était intervenu le lapin Jean, c'est pareil. Quand je fais des bonds dans la cour, je sais toujours où je retombe. Jamais peur de me fouler une patte. Je connais par cœur tous les cailloux. Et je me trouve très intelligent.

– Eh bien, avait soupiré la dinde Marge, qui était assez copine avec Clothilde, vous faites de beaux aventuriers, tous! Mais laissez-moi vous expliquer une chose: si vous refusez de prendre des vacances maintenant, comme le propose Clothilde, vous n'en prendrez pas de sitôt! Quand les fermiers rentreront, ils ne repartiront pas avant des années, et ils ne nous laisserons pas partir non plus. Trop de travail à la ferme, vous savez bien. C'est donc l'occasion ou jamais!

Le canard, l'oie et le lapin ne répondirent d'abord rien, puis il sembla qu'ils réfléchissaient.

– Évidemment, finit par observer le canard, c'est peut-être embêtant de ne pas faire ce qu'on peut faire quand on peut le faire surtout si on ne peut pas le faire après...

– Tu peux répéter? demanda l'oie Maggy. Ta phrase était très longue.

– Il veut dire, intervint le lapin, qu'on ferait peut-être bien de partir, finalement.

– Ah bon? dit Maggy. Et qu'est-ce que tu en penses, toi? lui demanda-t-elle.

– J'hésite, fit le lapin.

– Et toi? demanda Maggy au canard.

– Je ne sais pas, répondit Henri. En tout cas,

moi, je n'irai pas au bord de la mer. En tant que canard d'eau douce, je m'y oppose formellement!

– La mer ne me tente pas non plus, expliqua le lapin. Moi, ce qui m'intéresse dans la vie, c'est de sauter. Je veux bien aller sauter ailleurs, à la rigueur, au risque de me casser une patte, mais, dans l'eau, ça ne me paraît guère possible. Et même sur la plage, je ne vois pas bien comment je pourrais rebondir dans le sable...

– En tout cas, je vois que vous progressez, estima la poule Clothilde. Moi non plus, je ne suis pas tentée par la mer. Qu'est-ce que vous penseriez de la montagne ?

– Ah non ! fit l'oie. Trop haut !

– Pas question ! fit le lapin ! Trop en pente !

– Jamais ! fit le canard ! Trop loin !

– Et que penseriez-vous de la forêt ? intervint la dinde Marge. La forêt n'est pas haute, pas en pente, pas loin. En plus, il y a de l'ombre...

– C'est sûr qu'ici ce n'est pas ce minable cerisier qui nous protège du soleil, observa le lapin.

– Faut voir, fit le canard.

– La forêt, c'est comment, exactement ? demanda l'oie.

– Il paraît que c'est touffu, répondit la dinde.

C'est ce qu'ils disent dans les livres. Et puis les animaux sont différents de nous, là-bas. Il paraît qu'ils courent plus vite.

– Et qu'ils volent plus haut, je crois, fit le canard.

– Et qu'ils ne mangent pas la même chose, intervint le lapin, l'air tout à coup songeur. Je crois bien l'avoir lu quelque part.

Il se fit ici un silence.

– Tu veux dire quoi, au juste ? demanda la dinde.

– Je crois qu'il veut parler des renards, intervint la poule Clothilde. Ou des loups, par exemple. Je préfère être franche avec vous, mes amis, reprit-elle. En forêt, il y a du danger. Beaucoup plus qu'au bord de la mer ou qu'en montagne. Et puis il y fait plus sombre, on ne sait pas d'où peut venir l'ennemi. En même temps, ce n'est pas très loin et il y a de belles clairières. Ça peut être très agréable pour un pique-nique. Ça se discute.

– Ça ne se discute pas ! protesta l'oie. On ne part pas, c'est tout !

– C'est vrai que ça paraît risqué, observa le canard.

– Qui ne risque rien n'a rien, énonça le lapin.

– Je suis contente de voir que tu as envie de partir, Jean, finalement, lui dit la poule Clothilde. Ne vous inquiétez pas trop, de toute façon, ajouta-t-elle à l'intention des deux autres, on va emmener Paul-François.

– Ah, fit l'oie. Je n'avais pas pensé à ça.

– Dans ces conditions, évidemment... fit le canard.

– Paul-François ! appela Clothilde.

On entendit grogner. Paul-François, qui n'était pas sourd, avait entendu qu'on l'appelait. Il s'avança lourdement vers le petit groupe.

– Tu m'as appelé, Clothilde ? demanda-t-il en arrivant à sa hauteur, ses quatre sabots bien plantés dans le sol, sa queue impeccablement tire-bouchonnée, son groin d'un rose resplendissant.

– Oui, fit Clothilde. Qu'est-ce que tu dirais d'un petit séjour en forêt, Paul-François ? Tu nous accompagnerais, et en même temps tu nous protégerais. Avec toi, nous ne craindrions rien...

– C'est que... je n'aime pas trop m'éloigner de mon auge, fit Paul-François.

– On emportera des sandwiches, intervint la dinde Marge.

– Et de la confiture, ajouta l'oie Maggy.

– Tout ce que tu veux, fit le canard Henri.

– Allez, ça va être super ! s'écria le lapin Jean. J'ai

tellement envie de sauter sur le tapis de feuilles mortes !

– Et nous, de nous dandiner devant un nouveau public ! s'exclamèrent l'oie et la dinde.

– Moi, je trouverai bien un ruisseau, positiva le canard.

– D'accord, d'accord, fit le cochon Paul-François. Devant tant d'enthousiasme, je ne puis que m'incliner. Et puis, je trouverai bien un peu de boue où me rouler, en forêt. Allez, ça marche !

Et tout le monde le félicita pour sa camaraderie. Le petit groupe se mit en route vers la forêt, en compagnie du cochon Paul-François, qui fermait la marche.

On arriva bientôt à destination. En effet, comme la dinde l'avait annoncé, la forêt était proche. C'est la poule Clothilde, en tête de la petite troupe, qui fut la première à franchir la lisière. Et, passé un bref moment d'hésitation, tous la suivirent, qui bondissant, qui se dandinant, tout un chacun s'émerveillant de la hauteur des arbres, de l'élasticité du sol où l'on avançait, du soleil qui jouait entre les feuilles. On avait emporté des paniers, des baluchons contenant quantité de graines et de carottes en prévision du pique-nique, sans oublier naturellement les sand-

wiches et la confiture pour le cochon, qu'on entendait grogner pensivement à l'arrière. C'était une belle fin de matinée, et tous, en vérité, entendaient en profiter.

Cependant, on ne croisait pas grand monde. Au passage, on entendait bien quelques froissements de branches, ici un oiseau qui sans doute prenait son vol, là probablement un mulot qui fuyait devant la petite troupe, mais personne ne se montrait. Il est vrai que la poule, l'oie, le canard et le lapin n'arrêtaient pas d'échanger leurs impressions sur les avantages et les inconvénients de la forêt, et qu'ils faisaient un beau vacarme. L'oie et la dinde, en particulier, étaient assez bêtes pour se plaindre tout haut qu'il n'y eût aucun nouveau public devant qui se dandiner, et leurs cris d'indignation, évidemment, ne faisaient qu'éloigner d'elles leurs éventuels spectateurs.

Quand on eut bien marché, le lapin et le canard commencèrent à réclamer qu'on s'arrêtât pour pique-niquer, car ils avaient faim, tandis que la poule, l'oie et la dinde, elles, qui s'étaient coupé l'appétit avec les vers de terre qu'elles avaient picorés tout le long du chemin sous les feuilles mortes, demandèrent qu'on attendît un peu. Le lapin, tout en continuant la promenade, ne résista pas à l'envie de mordre dans une carotte. De sorte que, lorsqu'on déboucha dans une clairière où la poule, l'oie, la dinde et le canard demandaient maintenant qu'on pique-niquât, le lapin, lui, n'avait plus faim. C'était mauvais pour la bonne entente du groupe, et le cochon dut intervenir.

– Nous ne pourrons malheureusement plus pique-niquer tous ensemble, déclara-t-il, car la majorité d'entre nous n'en peut plus d'attendre cependant que le lapin, lui, n'a plus faim. Toutefois, je vous demande à tous de considérer ce moment comme une pause, que nous mettrons à profit pour observer la beauté des arbres, ou écouter le chant des oiseaux. Puis nous poursuivrons notre promenade.

Chacun acquiesça. Le lapin, pour passer le temps, fit quelques bonds dans la clairière, tandis que le canard ouvrait son Tupperware de salade composée et que le cochon avalait un long sandwich au gruyère, sur lequel il n'oublia pas d'étaler une bonne dose de confiture. La dinde picora quelques graines pour les accompagner, et l'on vit la poule Clothilde, qui s'ennuyait un peu, s'éloigner de la clairière pour s'avancer en caquetant avec l'oie Marie-Catherine sous le couvert des arbres.

– À tout à l'heure ! lancèrent-elles au groupe.

Nous allons voir s'il y a par-là quelques champignons à cueillir.

– À tout à l'heure! répondirent ceux qui n'avaient pas la bouche pleine.

Évidemment, ni les poules ni les oies n'aiment particulièrement les champignons, et la poule Clothilde avait dit ça comme ça, parce qu'elle avait lu quelque part qu'en forêt il était agréable de cueillir des champignons, voilà tout. Cependant, le lapin bondissait, le canard mâchonnait sa salade, la dinde picorait mollement, le cochon finissait son sandwich, et, bientôt, il invita tout un chacun à repartir. Mais ni la poule Clothilde ni l'oie Marie-Catherine n'étaient rentrées.

– Elles en mettent, du temps, à cueillir leurs champignons, observa la dinde Marge.

– Elles ne doivent pas arriver à en trouver, intervint le canard qui manquait d'imagination et qui ne pensait jamais au pire.

– C'est tout de même inquiétant, fit le lapin, qui était très imaginatif, lui, et qui avait lu énormément de choses sur les renards et les loups en milieu forestier.

– Marge, déclara le cochon Paul-François, je vais te confier la surveillance du groupe. Moi, je vais m'avancer sous le couvert à la recherche de

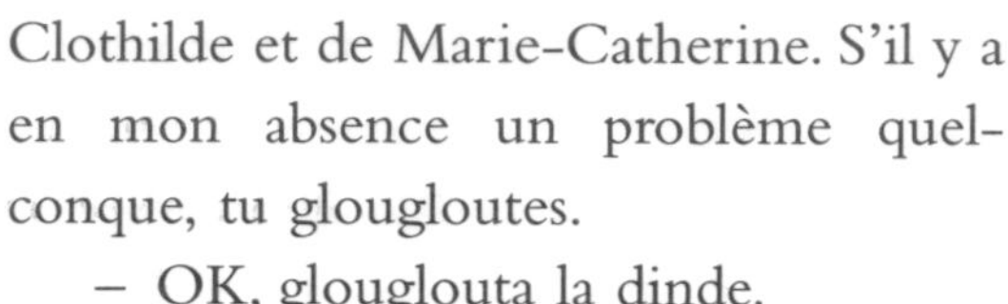

Clothilde et de Marie-Catherine. S'il y a en mon absence un problème quelconque, tu glougloutes.

– OK, glouglouta la dinde.

– Et moi ? demanda le canard.

– Eh bien, tu cancaneras, répondit le cochon.

– OK, cancana le canard.

– Et moi ? demanda le lapin.

– Heu… fit le cochon.

Il s'aperçut qu'il avait oublié le verbe qui veut dire crier pour les lapins. Et il n'y avait pas de dictionnaire dans la clairière. Il prit un air gêné.

– T'inquiète, lui répondit le lapin Jean, qui ne voulait pas faire de peine au cochon en lui rappelant comment les lapins crient. Je me débrouillerai.

– Bon, très bien, le remercia le cochon.

Et il s'engagea seul sous le couvert des arbres. Très vite, cette partie de la forêt se révéla fort sombre, et ni Clothilde ni Marie-Catherine n'étaient visibles. Paul-François grogna leurs noms dans la pénombre : personne ne répondit. Le groin au ras du sol, il chercha à humer le parfum d'éventuels champignons, en espérant trouver ses amies à proximité, mais en fait de champignons il ne récolta que des truffes. Il s'inquiéta. Il hésita, cependant, à s'éloigner davantage de la clairière, craignant de laisser trop longtemps seul sans surveillance le petit groupe dont il avait la responsabilité. Mais il songea que Clothilde et Marie-Catherine étaient encore plus seules, elles, face aux dangers de la forêt. Il poursuivit sa recherche, le groin en alerte et l'oreille tendue.

Il ne les trouva pas. Mais, alors qu'il contournait un buisson, il se cogna contre une masse grise.

– Excusez-moi, dit-il immédiatement, car il était poli. Je ne vous ai pas fait mal ?

Il ne voyait pas encore bien à qui il s'adressait ainsi. Puis le soleil passa entre les branches et vint se poser, un instant, sur la gueule du loup auquel il s'était heurté.

– Non, non, ça va, fit le loup.

Il faisait face au cochon, ses dents brillant dans le rayon de soleil, et se massait l'épaule en l'observant. Il semblait, seulement maintenant, s'apercevoir que c'était un cochon.

– Ou bien il fait très sombre dans cette forêt, lui déclara-t-il, ou bien vous êtes un cochon.

– Je suis un cochon, en effet, lui répondit le cochon. Je m'appelle Paul-François.

Le loup parut embarrassé. Il n'avait pas de nom et ne sut pas tout de suite quoi répondre.

– Bon, dit-il enfin. Qu'est-ce que vous allez faire ? Vous n'essayez pas de m'échapper ?

– Pardon ? fit Paul-François.

– Vous êtes un cochon, reprit calmement le loup. Je suis un loup.

– Et alors ? fit Paul-François.

– Et alors, je ne sais pas, dit le loup, un peu décontenancé. Vous ne connaissez pas l'histoire des trois petits cochons ?

– On me l'a racontée, répondit Paul-François. Mais je m'en souviens mal.

– Le loup est obligé de s'enfuir à la fin, lui rappela donc le loup. Mais les deux premiers petits cochons ont très peur de lui. Heureusement que le troisième a construit une maison en brique et qu'il est plus malin que les deux autres. Mais enfin le loup n'en ferait qu'une bouchée, de ces trois petits cochons, s'il les attrapait, on est d'accord ?

– On est d'accord, répondit Paul-François. Mais je ne suis pas un petit cochon.

Le loup le regarda sans comprendre.

– Je suis un gros cochon, expliqua Paul-François. Est-ce que vous saisissez la différence ?

Le loup regarda le cochon et, cette fois, parut comprendre. Le cochon était plus haut que lui. Plus large, également.

– Je suis carnivore, quand même, argumenta le loup.

– Je ne vous dis pas le contraire, rétorqua Paul-François. Mais, moi, je suis omnivore.

– Je ne connais pas ce mot-là, répondit le loup.

– Ça veut dire que je mange de tout, expliqua Paul-François.

Le loup parut réfléchir. Puis il parut avoir réfléchi.

– Attendez, attendez, fit-il, j'ai peur de comprendre…

– Vous feriez mieux d'avoir peur tout court, déclara Paul-François. Non seulement je peux vous mordre, mais, en mâchant lentement, je peux vous manger. Vous voulez voir mes molaires ?

– Non, non, ça ira, fit le loup.

– À propos, poursuivit Paul-François, vous n'auriez pas vu passer une poule et une oie de mes amies ?

– De vos amies ? questionna le loup, qui semblait très inquiet tout à coup. Je ne pense pas, non…

– Vous n'avez pas l'air très sûr, fit Paul-François.

– Si, si, je suis sûr, protesta le loup en hochant la

tête avec une telle vigueur que, dans ce mouvement, quelque chose se détacha de son pelage.

Et ce quelque chose se mit à tomber, très lentement, en virevoltant avec légèreté, un peu à la manière d'une feuille morte qui se détache d'une branche.

Ce n'était pas une feuille morte. De toute façon, les feuilles dans les arbres étaient bien vertes. On était au printemps.

C'était une plume.

Une plume très légère, une plume de duvet.

Une plume de duvet d'oie.

– Marie-Catherine ! s'écria Paul-François.

Et il se rua sur le loup.

– Tu l'as mangée ! grogna-t-il.

Et il menaçait le loup, non de ses dents, qu'il gardait serrées par la colère, mais de son sabot, qu'il brandissait pour lui en ficher un bon coup.

– Non, je ne l'ai pas mangée ! protesta le loup. Je l'ai seulement plumée.

– Et Clothilde ? interrogea Paul-François...

– Qui ça ? fit le loup.

– Ne fais pas l'imbécile, grogna Paul-François. La poule qui était avec Marie-Catherine !

– Ah oui, fit le loup, comme s'il se souvenait

seulement maintenant de la poule Clothilde. Je l'ai plumée aussi.

– Et où sont-elles ? grogna Paul-François.

À ce moment s'entendit un bruit qu'on n'entend guère souvent en forêt.

Un éternuement.

Puis un second. Différent du premier.

Un éternuement de poule, un éternuement d'oie. Paul-François savait très bien faire la différence.

Clothilde et Marie-Catherine étaient toutes proches.

– Conduis-moi à elles, ordonna Paul-François.

Le loup s'exécuta. Paul-François n'eut pas fait dix mètres derrière lui qu'il aperçut, au creux d'un fourré, un grillage bas où se découpait une porte cadenassée. Deux formes dénudées s'y agitaient.

– Clothilde ! s'exclama Paul-François.

– Atchpoule ! fit Clothilde.

– Marie-Catherine ! s'exclama derechef Paul-François.

– Atchoie ! fit Marie-Catherine.

Ni l'une ni l'autre n'avaient plus une plume sur le dos. Clothilde tremblait, elle avait la chair de poule. Marie-Catherine tremblait aussi, et, bien qu'elle fût une oie, elle avait aussi la chair de poule.

– Trouve-moi vite deux couvertures, ordonna Paul-François au loup.

Par chance, à proximité de son poulailler, le loup avait son atelier de tannage. Il en rapporta deux peaux de lapin.

– C'est tout ce que j'ai trouvé, déclara-t-il.

– Ça ira, fit Paul-François.

Comme Clothilde et Marie-Catherine, délivrées, revêtaient chacune une peau de lapin, on entendit un autre bruit. Rien à voir avec un éternuement. C'était une multitude de cris qui leur parvenaient maintenant à travers la profondeur de la forêt.

– Le groupe ! s'exclama Paul-François. Le groupe est en difficulté ! Allons-y !

– Heu... Vous partez déjà ? lui demanda le loup.

– Tu viens avec nous, lui déclara Paul-François. Tu pourras peut-être servir.

Et il s'élança avec Clothilde, Marie-Catherine et le loup en direction de la clairière, aisément guidé par les cris. Il craignait, bien évidemment, d'arriver trop tard, mais il n'arriva pas trop tard. Le renard qui venait d'attaquer le lapin, la dinde et le canard n'était pas encore mort : il luttait de toutes les forces qui lui restaient contre les dents et les becs plantés

un peu partout dans son magnifique pelage. De temps à autre, il criait «Au secours!» mais ni le lapin, ni le canard, ni la dinde qui s'agrippaient à lui ne consentaient à le lâcher.

Arrêtez! cria Paul-François. Que vont penser de nous les habitants de la forêt? Nous devons défendre la réputation de la campagne!

Le lapin, le canard et la dinde, peu à peu, se calmèrent. Le renard, ensanglanté, avisa les nouveaux arrivants et, parmi eux, reconnut son compère le loup. Ils échangèrent tous deux un regard d'impuissance.

Cependant, autour de la clairière, les animaux de la forêt s'étaient rassemblés: mulots, écureuils, biches, oiseaux de toute sorte. Il y avait même là un vieux sanglier qui hochait la tête en marmonnant qu'on vivait une époque trop violente, et qu'il aurait préféré se limer les canines plutôt que d'assister à pareil spectacle. Puis il s'adressa à Paul-François:

– Je vous remercie d'être intervenu, cousin, lui dit-il. Je suis moi-même trop vieux pour faire la police.

– Je vous en prie, c'est la moindre des choses, lui répondit Paul-François. Je suis désolé également pour les papiers gras. Nous allons nettoyer tout ça. À propos, votre bauge est loin?

– Du tout, fit le sanglier, elle est à deux pas. Vous ne sentez pas l'odeur ?

– Si, en effet, approuva Paul-François en frémissant du groin. Je me roulerais bien un peu dedans, après toutes ces émotions, ajouta-t-il.

Cependant, le loup s'était approché, flanqué du renard et d'un blaireau, qui tenait en main une boîte à pharmacie.

– On va peut-être y aller, nous, fit le loup à l'intention de Paul-François. À moins que vous n'ayez besoin de nous...

– Non, vous pouvez débarrasser le plancher, fit Paul-François. Fichez-moi donc le camp !

Et le loup et le renard s'en furent, la queue basse, suivis du blaireau. Les animaux de la basse-cour se mirent ensuite à nettoyer la clairière, et, quand ils en eurent terminé, les animaux de la forêt, eux, avaient disparu sous les arbres.

– Eh bien, fit la dinde Marge, à nouveau plus personne devant qui se dandiner... C'est réussi, comme journée.

– Qu'est-ce que je devrais dire de moi, intervint l'oie Marie-Catherine. Regarde de quoi j'ai l'air, avec cette peau de lapin sur le dos.

– Ce n'était pas une si mauvaise expérience, intervint la poule Clothilde. Nous nous sommes bien défendus.

– En tout cas, ça ne vaut pas la ferme, estima le lapin Jean. J'ai les pattes pleines d'épines.

– Et moi, je n'ai pas vu de rivière, fit le canard Henri.

– Le mieux, quand même, gronda Paul-François, ça serait d'arrêter de vous plaindre. De toute façon, on va rentrer, maintenant. Dès que je me serai roulé dans la bauge de mon cousin.

– Grrrmmmpph, fit le sanglier, qui était le seul habitant de la forêt à être resté. Allez-y, dit-il à Paul-François. Je les surveille en attendant votre retour.

Et Paul-François s'en alla prendre un bain de boue bien mérité tandis que la basse-cour, sous le regard du vieux sanglier, rassemblait ses baluchons et ses paniers.

Le portrait du monstre

Il était une fois, dans une forêt, un monstre assez horrible, dont tout le monde, normalement, aurait dû avoir peur. Mais ce monstre était si timide et si sauvage qu'il s'était retiré au plus profond de la forêt, dans un endroit où nul n'allait jamais. De sorte que, peu à peu, comme en plus il n'avait fait de mal à personne, on l'avait oublié.

C'était donc un monstre solitaire, comme la plupart des monstres, d'ailleurs. Et pourtant... il ne vivait pas exactement seul.

En réalité, plusieurs mois avant le début de cette histoire, il n'avait pas résisté au désir d'enlever une princesse. Un jour, il était sorti de son repaire, avait pris la direction de n'importe quel château, avait aperçu à sa fenêtre une princesse fort jolie et l'avait discrètement ramenée chez lui.

Le monstre n'avait pas fait de mal à la princesse, donc, car, ce qu'il voulait, c'est qu'un prince vînt le combattre, lui, afin de la délivrer, elle. Comme

monstre, en effet, il avait besoin d'affronter au combat des princes courageux, sinon il se serait ennuyé.

Malheureusement, personne ne s'était présenté pour le combattre. Il avait beau avoir enlevé une princesse, personne ne savait que c'était lui qui l'avait fait. On avait bien constaté la disparition de la princesse, mais on la cherchait ailleurs que dans cette forêt où le monstre se cachait.

Le problème de notre monstre, donc, c'est qu'il n'était pas assez connu.

Un matin, il alla voir la princesse, qu'il gardait prisonnière dans une petite cellule à l'intérieur de son repaire.

– Bonjour, princesse, lui demanda-t-il, comment allez-vous, aujourd'hui ?

Et il lui déposa le plateau de son petit déjeuner. Il était en effet très aimable avec elle et, à part le fait qu'elle était prisonnière, la princesse était très bien traitée.

– Ça va, ça va, fit la princesse en mordant dans un croissant au beurre, je m'ennuie un peu, mais bon…

– Ah, c'est comme moi ! lui répondit le monstre. Depuis que je vous ai enlevée, personne ne s'est présenté pour vous délivrer. C'est que j'aimerais bien me battre, à la fin !

– Ne soyez pas impatient, lui dit doucement la princesse. Un jour, mon prince viendra, et il me délivrera.

– Comme vous y allez ! fit le monstre. Pour vous délivrer, il faudrait d'abord qu'il me tue !

– Ah, c'est vrai, reconnut la princesse. J'oublie toujours ce détail. Et ce détail ne me plaît guère, hélas ! Vous savez combien je me suis attachée à vous. J'ai beau attendre mon prince, je ne veux pas qu'on vous tue...

Le monstre ne répondit rien. Il était extrêmement timide. Il savait bien que la princesse s'était attachée à lui. Et lui à elle.

– Bon, finit-il par dire. Ne nous attendrissons pas trop. De toute façon, en tant que monstre, je n'ai pas le choix. Je dois combattre un prince. Vous, comme princesse, vous devez en attendre un. Et, comme il ne vient pas, nous devons essayer de le faire venir. J'ai longuement réfléchi à ce problème. Puisque je ne suis pas connu, il va falloir que je le devienne. Vous allez faire mon portrait.

– Ah bon ? demanda la princesse. Mais pourquoi donc ?

– Quand vous aurez fait mon portrait, expliqua le monstre, vous le recopierez en plusieurs exemplaires, et nous irons le placarder sur le plus grand nombre possible d'arbres de la forêt, jusqu'à la lisière, et peut-être même un peu plus loin. Ainsi, on connaîtra mon existence, ma laideur et ma méchanceté jusque dans les villages alentour. Et votre prince finira par venir.

– Mais vous n'êtes ni laid ni méchant, remarqua la princesse.

– Vous ne vous souvenez donc pas comme vous avez hurlé la première fois que vous m'avez vu ? lui rappela le monstre. Lorsque je vous ai enlevée ?

– Oui, c'est juste, reconnut la princesse.

– Vous me trouviez absolument horrible, à ce moment-là.

– Je ne peux pas vous dire le contraire, approuva la princesse.

– Eh bien, vous vous êtes habituée à ma laideur, expliqua le monstre.

– Sans doute, reconnut la princesse. Mais vous n'êtes pas méchant.

– Ceux qui ne me connaissent pas encore ne perdent rien pour attendre, gronda le monstre. Je peux être très méchant. Et puis je vous ai enlevée, quand même.

– Exact, fit la princesse.

– Bref, vous allez faire mon portrait. Je suppose que, en tant que princesse, vous avez reçu des cours de dessin.

– Oui, fit la princesse. Et de musique. Et de tapisserie.

– Laissons cela. Ne perdons pas de temps. Je vais vous chercher du papier et des crayons.

C'est ainsi que la princesse, avec application, se mit à dessiner le monstre. Celui-ci prit la pose la plus effrayante possible, en montrant les dents, qu'il avait aiguisées et sanguinolentes. Il aurait fait peur à n'importe qui.

– Faites voir, demanda-t-il à la princesse quand celle-ci lui annonça qu'elle avait terminé.

La princesse montra son dessin.

– Pas mal ! apprécia le monstre. Pas mal du tout ! Si vous voulez, je vous aide à le recopier en plusieurs exemplaires.

– Je ne préfère pas, fit la princesse. Vous n'avez pas pris de cours de dessin, vous.

Et elle se mit à recopier le dessin en mille quatre cent quatre-vingt-cinq exemplaires.

Ce qu'elle ne savait pas, c'est que le monstre était myope. Et ce que le monstre ne savait pas, parce qu'il était myope, c'est que la princesse dessinait mal.

Une semaine plus tard, à la nuit tombée, ils sortirent tous deux dans la forêt et placardèrent le portrait sur le plus grand nombre d'arbres possible. Ils en placardèrent jusqu'à la lisière, et même plus loin encore, jusqu'à l'entrée du premier village. Sous chaque dessin, ils avaient inscrit des avertissements : « Attention, monstre dangereux ! » ; « N'allez pas plus loin ! » ; « Continuez comme ça si vous voulez vous faire trancher la tête d'un coup de dents ! » ; « On vous aura prévenus ! »

Puis ils rentrèrent se coucher, exténués, l'un dans sa chambre, l'autre dans sa cellule.

Le lendemain matin, ils furent réveillés par des rires. Le monstre sortit de son repaire. Il y avait là, devant chez lui, les rares habitants de la forêt, dont le bûcheron, le Petit Chaperon rouge et sa mère-grand, ainsi que le loup, et nombre de villageois de la région. Tous se tapaient sur les cuisses tant ils riaient, exhibant les portraits qu'ils avaient arrachés aux troncs d'arbres.

– Qu'est-ce que c'est que ce monstre ridicule que nous abritons dans notre forêt ? raillait le bûcheron entre deux hoquets.

– Jamais vu un monstre aussi drôle ! clamait un villageois en s'étouffant.

– Et ça voudrait faire peur ! plaisantait un autre.

Mais ils cessèrent très vite leurs moqueries. Comme le monstre apparaissait en balançant la tête d'un air contrarié, ils s'aperçurent qu'il ne ressemblait pas du tout à son portrait.

Le monstre en réalité faisait très peur. Et les villageois, ainsi que les habitants de la forêt, prirent la fuite en abandonnant les portraits.

DANGER

L'un d'eux, cependant, qui semblait plus courageux que les autres, resta un instant face au monstre et sortit de sa poche un petit appareil qu'il porta à hauteur de ses yeux.

Il y eut un flash. Le monstre cligna.

Il ne savait pas ce que c'était qu'un flash.

Nous, si. L'homme qui semblait courageux était un journaliste-photographe. Il venait de prendre une photo du monstre.

Après quoi, ayant fait son travail, il s'enfuit comme les autres. Le monstre retourna dans son repaire et apporta son petit déjeuner à la princesse.

– C'est un échec, lui déclara-t-il. Ils se sont moqués de moi. Pourtant, quand ils m'ont vu en vrai, ils ont pris peur. Je crains que vous ne soyez pas une très bonne dessinatrice, princesse.

– Il est vrai que mon professeur me mettait d'assez mauvaises notes, reconnut la princesse en mordant dans son croissant au beurre. En moyenne, l'année dernière, j'ai eu neuf sur vingt.

– Ce n'est pas une très bonne moyenne, fit le monstre.

– Non, approuva la princese.

– Je me demande ce que nous allons devenir, soupira le monstre.

– Vous les avez quand même fait fuir, quand ils vous ont vu, l'encouragea la princesse.

– C'est juste, approuva le monstre. Il suffit peut-être d'attendre, maintenant.

Et ils attendirent. Quelques jours, pas davantage. Un prince, en effet, avait lu le journal et vu la photo du monstre. Il lui avait paru assez effrayant pour que lui, le prince, se donnât la peine de seller son cheval afin d'aller le tuer. D'autant que ce monstre, qui faisait si peur, pouvait très bien avoir enlevé une princesse. Et peut-être même cette princesse qui avait disparu quelques mois plus tôt.

Le prince sella son cheval et s'en fut vers la forêt. Puis il s'avança au plus profond de cette forêt. Il restait, placardés sur les arbres, quelques portraits du monstre qui ne faisaient absolument pas peur, mais le prince les ignora. D'ailleurs, à l'approche du repaire du monstre, il ne croisa plus personne. Et on n'entendait aucun bruit.

Le prince trouva le repaire sans difficulté car le monstre, quelques jours auparavant, avait placardé sur les arbres, à l'approche de son logis, en plus des quelques portraits qui restaient, des panneaux en forme de flèche qui indiquaient : « Continuez tout droit sur cent mètres puis tournez à gauche » ;

« Encore quelques pas et vous y êtes » ; « Courage, vous arrivez ». Parvenu devant l'entrée du repaire, le prince n'eut qu'à crier de sa noble voix de prince :

– Holà ! Il y a quelqu'un ?

– Ah, je crois que c'est pour moi, dit le monstre à la princesse, avec laquelle il était en train de bavarder en prenant un thé à la menthe accompagné de petits gâteaux. J'y vais, excusez-moi.

La princesse n'osa pas lui souhaiter bonne chance. C'eût été souhaiter la mort de son prince, qui était venu la délivrer. Mais elle ne souhaitait pas non plus la mort du monstre. Elle était bien embêtée.

– Je… dit-elle seulement.

Et le monstre sortit de son repaire.

– Bonjour, dit-il au prince.

– Salut, fit le prince, et il sortit son épée.

Le monstre hésita un quart de seconde, car, comme il s'était attaché à la princesse, il craignait tout à coup de lui faire de la peine s'il en venait à tuer son prince. Hélas, ce quart de seconde d'hésitation lui fut fatal. Sans attendre, le prince le transperça de part en part de son épée.

– Arrrghh… fit le monstre, et il mourut.

Le prince avait rarement mené un combat aussi

rapide. En fait, il était un peu frustré. Mais bon, il avait tué le monstre, c'était l'essentiel.

Il enjamba le monstre et entra dans le repaire. Il trouva la cellule et, à l'intérieur, la princesse.

– Heu… dit-il.

Car il était désagréablement surpris. La princesse n'était pas très belle. Le monstre, quand il l'avait enlevée, ne s'en était pas aperçu parce qu'il était myope. Ensuite, ça ne l'avait pas gêné non plus. La princesse elle-même ne se trouvait pas belle, mais pas moche non plus. Elle s'était faite à son physique. Mais le prince, lui, était exigeant sur la beauté. Il n'avait pas envie d'épouser cette princesse-là. Il la trouvait trop banale.

– Je vois que vous êtes mon prince, lui dit la princesse. Vous êtes venu me délivrer.

– Heu… répéta le prince.

– Qu'avez-vous fait de mon geôlier? lui demanda la princesse.

– De qui parlez-vous? fit le prince.

Il ne connaissait pas le mot «geôlier». Il ne savait pas que ce mot désigne celui qui retient prisonnier un prisonnier. Il n'était pas très instruit. Comme il n'était pas complètement idiot, toutefois, il ajouta:

– Vous voulez parler du monstre ? Je l'ai tué, naturellement.

La princesse enfouit son visage dans ses mains. Elle ne voulait pas montrer au prince les larmes qui lui montaient aux yeux. Elle était infiniment triste que le monstre eût été tué, et ce prince, là, qui ne semblait guère amoureux d'elle, était sans doute la dernière personne qui eût pu la consoler.

– Je vais ouvrir votre cellule, fit mollement le prince.

– Vous pouvez m'y laisser, soupira la princesse. La liberté ne m'intéresse pas.

– Tout de même, protesta le prince. Il faut bien que je vous délivre.

– Faites ce que vous voulez, déclara la princesse.

Le prince ouvrit la porte de la cellule. La princesse ne bougea pas.

– Vous ne sortez pas ?

– Pour aller où ? fit la princesse. Vous comptez m'emmener quelque part ?

– Heu… répéta encore le prince.

– Je crois que vous devriez rentrer chez vous, lui dit la princesse.

– Eh bien… fit le prince.

Il n'était pas très fier. Il n'était même plus si

content que ça d'avoir tué le monstre. Il venait de passer une sale journée. Il rentra chez lui et ne pensa même pas à se vanter de son exploit. Mais laissons-le, c'est la princesse qui nous intéresse. Elle sortit de sa cellule. Elle avait au moins une raison d'en sortir : se pencher sur le corps de son ami.

Le monstre gisait devant l'entrée de son repaire. La princesse se pencha sur lui. Elle pleura au-dessus de son terrifiant visage. Et, dès que la première larme, après qu'elle eut coulé sur la joue de la princesse, fut tombée sur la joue du monstre, celui-ci ouvrit les yeux.

– Vous êtes là, lui dit-il.

– Et vous aussi, lui dit la princesse. Vous êtes donc vivant.

– Maintenant, oui, lui dit le monstre.

Il ne l'embrassa pas, parce qu'il ne voulait pas lui faire peur. Elle ne l'embrassa pas, parce que, même si elle s'était habituée à lui, il restait monstrueux. Elle lui prit la main. Il la serra.

– Princesse… dit-il.

– Ne dites rien, fit-elle.

Alors, ils se turent tous les deux. Plus tard, le monstre retrouva des forces et parvint à se lever.

– Qu'allons-nous faire ? dit-il à la princesse.

– Je ne sais pas, répondit la princesse. Si nous allions nous promener dans la forêt ?

– Nous promener ? s'étonna le monstre. Vous parlez sérieusement ?

– Le plus sérieusement du monde, répondit la princesse.

Et il allèrent se promener dans la forêt, main dans la main, le plus sérieusement du monde.

Le mariage de la carotte

Il était une fois une carotte en âge de se marier. Jusqu'alors, elle avait vécu une vie tranquille, accompagnée de ses deux jeunes sœurs, aimée de ses deux parents, et elle ne s'était jamais éloignée de son potager que pour aller se baigner dans la rivière au bas du jardin, à l'abri de deux gros cailloux qui la protégeaient du courant.

Notre jeune carotte aimait donc deux choses : aller se baigner, de façon à se débarrasser de toute la boue qui lui collait à la peau quand elle sortait de son trou, si bien qu'elle se sentait délicieusement propre ; et rentrer dans son trou afin de retrouver la douce enveloppe de la terre.

Mais, un matin qu'elle se baignait, elle aima une troisième chose. En effet, elle crut voir, de l'autre côté de la rivière, près de la rive opposée, un beau navet qui s'ébattait lui aussi dans l'eau, en faisant force éclaboussures. Les gouttes qui jaillissaient autour de lui empêchèrent notre carotte de bien le distinguer, de

sorte qu'elle ne fut pas absolument certaine qu'il était beau. Mais enfin, dès cet instant, elle ne cessa d'imaginer qu'il l'était et de penser à lui.

C'est ainsi qu'elle tomba amoureuse d'un navet qu'elle n'avait même pas bien vu. Mais l'amour, on le sait, est souvent aveugle et l'important, pour notre carotte, c'est qu'elle aimait ce navet-là. Et d'ailleurs, elle avait lu quelque part qu'en amour la beauté n'est pas la seule chose qui compte.

À partir de ce moment, ses sœurs la trouvèrent distraite, et bientôt ce furent ses parents qui s'inquiétèrent. Ils la voyaient pousser distraitement et ne s'occuper que de ses feuilles, qu'elle ne cessait de recoiffer quand elle descendait au ruisseau, où elle passait beaucoup de temps à observer son reflet.

Ses sœurs lui demandèrent pour quelle raison elle était devenue si coquette.

– J'ai toujours été coquette, mentit-elle. D'ailleurs, vous feriez bien de vous coiffer aussi, de temps en temps, plutôt que de vous promener avec vos feuilles dans tous les sens. Ça fait négligé.

Bref, notre carotte devenait un peu désagréable. Mais c'était aussi qu'elle n'avait pas revu son navet.

Chaque jour, quand elle descendait à la rivière, elle observait la rive opposée et le guettait.

Plus de navet.

Elle avait remarqué, évidemment, qu'il y avait sur la rive d'en face un autre potager.

C'était donc là qu'il devait vivre.

Et elle décida, un beau jour, de traverser la rivière afin de le retrouver.

Elle ne s'était jamais aventurée en dehors de l'abri des deux gros cailloux, et n'était pas très bonne nageuse. Par chance, elle ne se baignait pas qu'avec ses deux sœurs. Une salade de ses amies l'accompagnait souvent au bord de la rivière. La salade ne nageait guère, elle préférait que ses feuilles restent sèches afin qu'elles ne s'abîment pas. Mais elle aimait bien, de temps à autre, aller se tremper un peu. Elle flottait ainsi au bord du ruisseau, seules ses grosses feuilles du bas étalées sur l'eau, comme la coque d'une barque, et ses fines feuilles du haut bien au sec.

Les autres légumes, eux, nageaient normalement. Certains se risquaient même parfois jusqu'au milieu de la rivière, telles trois courgettes de sa connaissance qui n'avaient jamais peur de rien, et qui plongeaient de façon acrobatique, ou encore tel un ami poireau à elle, qui savait plonger en arrière à partir du plus gros des cailloux. Mais aucun ne flottait sur l'eau aussi bien que la salade.

La carotte alla donc la voir alors que toutes deux se baignaient.

– J'ai remarqué que tu flottais très bien, lui dit-elle, et je me demandais si tu ne pourrais pas m'emmener, à l'abri de tes feuilles, jusqu'à la rive opposée de la rivière.

– Ça ne me paraît pas impossible, lui répondit la salade. Le problème, c'est que je n'avance pas très vite. En plus, j'ai peur d'être emportée par le courant. C'est la raison pour laquelle je n'ai jamais dépassé ce trou d'eau où nous nous baignons, toi, moi et tes sœurs, entre nos deux bons cailloux.

– On pourrait demander aux courgettes de nous tirer, suggéra la carotte.

– Ces trois casse-cou ! s'exclama la salade. Tu n'y penses pas ! Elles gesticulent tout le temps, elles risquent de nous faire chavirer !

– Elles nagent très bien, argumenta la carotte. Et si on leur demande de ne pas faire de bêtises…

La salade fit la moue.

– D'ailleurs, dit-elle pour dire quelque chose, je voudrais bien savoir pourquoi tu tiens tant que ça à te rendre du côté opposé du ruisseau.

La carotte rougit.

– Je… commença-t-elle.

– Ah, j'y suis! s'exclama la salade. Je ne vois qu'une chose qui peut faire faire des idioties pareilles.

– Ah oui? fit la carotte. Quoi?

Elle était rouge comme une betterave.

– L'amour, répondit avec sûreté la salade. Et je sais très bien qu'il y a un autre potager sur la rive opposée. Avec de très beaux brocolis...

– Mais je ne suis pas amoureuse d'un brocoli! protesta la carotte, qui avait retrouvé sa couleur normale. C'est un navet que j'ai vu se baigner, l'autre jour. Un très beau navet. Et, depuis, c'est vrai, je ne fais que penser à lui.

– Tous les goûts sont dans la nature, observa la salade. Enfin, si c'est ton choix, je ne veux pas te contredire. T'a-t-il vue, lui, au moins?

– Je ne sais pas, fit la carotte.

– Alors pourquoi n'attends-tu pas qu'il revienne se baigner? demanda la salade.

– Ça fait trois jours qu'il ne s'est pas montré et je n'en peux plus d'attendre, répondit la carotte.

– Bon, fit la salade. Je vois ce que c'est. On va aller trouver ces fichues courgettes.

Les trois courgettes revenaient justement du milieu de la rivière.

– Hé, les filles ! cria la salade. Venez voir un peu par ici.

Les trois courgettes s'approchèrent.

– On a besoin de vous, fit la salade.

Et elle expliqua le problème. Les courgettes ne l'écoutèrent que d'une oreille, tout occupées qu'elles étaient à s'éclabousser en riant. Mais enfin elles acceptèrent d'aider la carotte. Et, sans tarder, elles tirèrent la salade vers le milieu du ruisseau, avec la carotte à son bord.

Tandis que les trois courgettes nageaient ferme, la carotte, dissimulée par les feuilles de la salade, observait la rive opposée, qui se rapprochait. Elle voulait bien, en vérité, que le navet la vît, mais elle ne voulait pas qu'il la vît venir. Et donc elle se cachait de lui tout en cherchant à le voir. En attendant, elle ne le voyait pas. Enfin, la salade arriva près de la rive. Aucun légume ne se baignait pour l'instant de ce côté-ci de la rivière.

– Qu'est-ce qu'on fait ? demanda la salade à la carotte. On débarque ?

– Je crois que oui, répondit la carotte. Mais tu me gardes cachée dans tes feuilles. Je ne veux pas qu'il me voie. Enfin, pas tout de suite.

Et la salade débarqua, avec la carotte toujours

dissimulée dans ses feuilles. On avait laissé les trois courgettes se baigner dans la rivière, après les avoir chaudement remerciées.

La salade, en se faisant la plus discrète possible, s'approcha du potager. À l'abri d'un tronc d'arbre, elle observa, avec la carotte, les plantations.

Il y avait là, comme dans le potager de la carotte et de la salade, des légumes de toutes sortes : tomates, pommes de terre, carottes, salades, etc. Ceux-là étaient peut-être un peu plus bronzés qu'elles, ou mûrs, plutôt, parce que de ce côté-ci de la rivière il y avait davantage de soleil.

Et, naturellement, il y avait aussi des navets.

Les navets poussent comme les carottes, leur corps enfoncé dans la terre, avec les feuilles qui dépassent.

Mais ce n'étaient pas les feuilles du beau navet que notre carotte avait remarquées, c'était le navet lui-même, avec son corps bien rond et ses douces couleurs, le violet du haut et le blanc du bas. Plus, évidemment, quelque chose d'indéfinissable.

Les oreilles, peut-être.

Ou le nez.

On se souvient qu'elle ne l'avait pas bien vu.

De toute façon, pour le reconnaître, elle devait attendre qu'il sorte.

La carotte attendit, toujours embusquée dans la salade, elle-même embusquée derrière le tronc.

Elle n'attendit pas longtemps.

Un navet émergea de la terre.

– C'est lui ! s'exclama tout bas la carotte. C'est lui, je le reconnaîtrais entre mille !

Ce n'était pas le nez, en fait.

Ni les oreilles.

C'étaient les sourcils.

Ce navet avait de très beaux sourcils, les plus beaux sourcils qu'on pût imaginer chez un navet.

Pour le reste, la carotte constata qu'il n'était pas si beau.

Il n'était pas absolument rond. Il tirait plutôt vers l'ovale.

Son violet du haut était un peu marron.

Son blanc du bas était plutôt gris.

Il est vrai qu'il était plein de terre.

Mais c'était lui.

– Qu'est-ce que je fais ? demanda la carotte.

– Attends de voir ce qu'il va faire lui, répondit la salade.

Et toutes deux virent le navet se diriger vers la rivière.

– Il va se baigner ! s'exclama la carotte.

– Allons nous baigner aussi, proposa la salade.

– Tu crois ? fit la carotte.

– Tu veux finir par le rencontrer, ou quoi ? s'énerva la salade.

– Bon, d'accord, fit la carotte. Mais je reste cachée dans tes feuilles.

Elles se dirigèrent à leur tour vers la rivière. De tous les légumes de ce côté-ci, le navet était le seul à se baigner.

Elles restèrent un instant à l'observer depuis la rive, cachées derrière un saule. Le navet était un fier et gai nageur, qui soulevait en crawlant de grandes gerbes d'eau.

– Qu'il est beau ! murmura la carotte.

– Pardon ? fit le navet en se tournant vers la rive.

La carotte avait murmuré un peu trop fort. Elle ne répondit pas à la question du navet. La salade non plus. Elles restèrent cachées derrière leur tronc.

– Il me semble bien que quelqu'un m'a parlé, insista le navet, qui avait cessé de nager et qui maintenant observait la rive. Qui se cache là ?

– Tu dois te montrer, murmura plus bas la carotte à la salade. Sinon, qu'est-ce qu'il va penser ?

– Je te rappelle que c'est plutôt toi qui dois te montrer, lui répondit la salade.

– Non, je n'ose pas encore, fit la carotte. Mais montre-toi, toi.

– Bon, si tu y tiens, fit la salade.

Et elle sortit de derrière le tronc, avec la carotte toujours cachée dans ses feuilles.

– Bonjour, dit-elle au navet.

– Ah, bonjour, lui répondit le navet en la voyant. C'est vous qui murmuriez ?

– Je ne murmurai pas, fit semblant de murmurer la salade, c'est ma façon normale de parler.

– Mais vous vous cachiez, remarqua le navet.

– Nullement, murmura encore la salade. C'est ma façon normale de me tenir.

– Soit, convint le navet. Je vois d'ailleurs que vous n'êtes pas une salade d'ici. Vous êtes en voyage ?

– C'est un grand mot, répondit la salade, toujours en murmurant. Je viens de la rive d'en face, où nous avons moins de soleil.

– Ah, fit le navet. Mais ne vous inquiétez pas si vous êtes moins mûre, murmura-t-il à son tour, sans doute pour faire plaisir à la salade en s'efforçant de parler comme elle. Vous êtes la bienvenue sur cette rive-ci. À propos, pourquoi ne venez-vous pas vous baigner ?

– Qu'est-ce que je fais ? murmura plus bas la salade à la carotte, de façon que le navet ne l'entendît pas. J'y vais ?

– Je ne sais pas, fit la carotte. Fais comme tu veux.

– Bonne idée, répondit alors la salade au navet. Je viens.

Elle se dirigea vers l'eau, la carotte toujours embusquée dans ses feuilles. Arrivée au bord, elle se laissa glisser vers la surface, et, grâce à son élan, se mit à flotter en direction du navet.

– Vous êtes très élégante, remarqua le navet.

Et, alors qu'elle ne s'y attendait pas du tout, la

salade, émue par ce compliment, sentit son cœur battre. La carotte aussi le sentit, car elle se tenait tout près du cœur de la salade. Elle en éprouva une jalousie violente. Elle avait envie de se montrer, maintenant, afin que le navet la vît et la choisît, elle, plutôt que son amie. Mais elle n 'osait toujours pas sortir de sa cachette.

– Venez! cria le navet à la salade. Allons nager au milieu de la rivière!

La salade hésita. Elle avait peur d'être emportée dans le courant. Puis elle pensa aux courgettes, qui se baignaient toujours à proximité, mais qu'une touffe de roseaux cachait aux yeux du navet.

– Hé, les filles! leur murmura-t-elle. Venez m'aider! J'ai encore besoin de vous!

La carotte nota qu'elle n'avait même pas dit: «*Nous* avons encore besoin de vous.» C'était très inquiétant.

Les courgettes s'approchèrent discrètement.

– Pouvez-vous me tirer en direction de ce navet que vous voyez là-bas? leur demanda la salade. Mais je ne veux pas qu'il s'aperçoive que vous m'aidez. Ce qui serait bien, c'est que vous me tiriez en nageant sous l'eau, de façon que vous échappiez à ses regards.

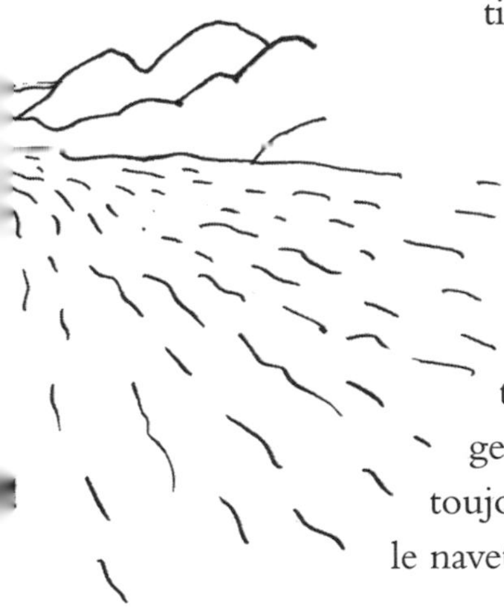

– Pas de problème! répondirent d'une seule voix les trois courgettes.

C'est ainsi que la salade, tirée sous l'eau par les courgettes, rejoignit, avec la carotte toujours cachée dans ses feuilles, le navet au milieu de la rivière. Elle

constata alors que le navet, bien qu'il fût un excellent nageur, se trouvait en difficulté : le courant, trop violent à cet endroit, le faisait plonger, et il commençait à manquer d'air.

– Je crois que je coule ! cria-t-il à la salade. Aidez-moi !

Les trois courgettes, elles, de leurs forces réunies, résistaient bien au courant. Toujours sous l'eau, en tirant la salade, elles s'approchèrent du navet, qui parvint à se hisser dans les feuilles basses de la salade.

– Merci, dit-il en soufflant. Quelle excellente nageuse vous faites !

– Ce n'est rien, fit la salade, dont le cœur se mit à battre plus fort.

Cependant, la carotte était toujours cachée dans ses feuilles, du côté opposé où s'était hissé le navet. Elle le sentait, tout près d'elle, presque à le toucher. Son cœur de carotte se mit à battre aussi, bien plus fort encore que celui de la salade. Le navet, qui avait l'oreille fine, s'en aperçut.

– Vous avez fourni un tel effort pour me sauver que je sens votre cœur sur le point d'exploser, dit-il à la salade. Vous devriez rejoindre la rive, maintenant, afin de prendre du repos.

Au même instant, les trois courgettes, qui n'en

pouvaient plus d'être restées sous l'eau, firent surface dans une grande gerbe pour avaler de l'air.

– Désolées, dirent-elles à la salade. Nous n'en pouvions plus ! Bonjour ! crièrent-elles au navet.

Et elles s'éloignèrent vers la rive.

– Ainsi, ce n'est pas vous qui nagiez, dit le navet à la salade. Et c'est le courage de ces courgettes qui me vaut ma vie de navet sauve.

– Écoutez, vous devriez savoir que les salades n'avancent guère sur l'eau, lui répondit sèchement la salade, vexée.

– En attendant, observa le navet, le courant continue de nous emporter, et je ne sais où nous allons nous retrouver comme ça, fit le navet. Mais comment se fait-il que j'entends encore votre cœur battre alors que vous ne fournissez aucun effort et que vous vous laissez porter par le courant ? Votre cœur battrait-il pour moi ?

Le cœur de la salade, en vérité, ne battait plus du tout pour le navet. Elle n'en était pas amoureuse, elle avait été seulement sensible à ses compliments parce qu'elle n'en avait pas eu beaucoup dans sa vie, des compliments. Maintenant, elle avait juste honte de lui avoir fait croire qu'elle était bonne nageuse.

– Non, mon cœur ne bat pas pour vous, répondit-elle. J'étais seulement flattée que vous me trouviez une élégante et bonne nageuse. Je crois d'ailleurs ne pas être très attirée par les navets en général.

– Mais alors… fit le navet.

– Alors c'est moi, déclara la carotte, qui n'y tenait plus et qui soudain parut entre deux feuilles de salade, presque nez à nez avec le navet.

– Oh ! fit le navet. Une carotte !

– Eh oui, fit la carotte. Je…

– Vous… commença le navet.

Le fait est que ni l'un ni l'autre n'étaient capables d'aligner deux mots, tant ils étaient émus. Ils se dévisageaient.

– Je ne savais pas que… reprit le navet.

Mais il ne parvint pas davantage à finir cette phrase-là. Il regardait la carotte droit dans les yeux, comme s'il lui était impossible de s'en détacher.

– J'ignorais que vous naviguiez à bord de cette salade, ajouta-t-il, un peu pour causer, tout en cherchant autre chose à dire. Vous n'êtes pas non plus une carotte d'ici.

– Je suis une carotte d'en face, répondit timidement la carotte. Vous devez me trouver un peu pâle.

– Mais non ! protesta le navet. Je n'ai jamais vu une carotte aussi...

– ... belle ? suggéra hardiment la carotte.

– Heu... fit le navet en baissant les yeux, cette fois. Je crois que c'est ça, oui.

– Je ne veux déranger personne, intervint la salade, mais il me semble que nous dérivons, là. Le courant nous emporte.

Mais ni la carotte ni le navet ne l'entendirent. La salade continua de glisser au milieu de la rivière, loin de son potager, loin aussi du potager du navet. Autour d'eux, le paysage changea, et ils comprirent qu'ils étaient ailleurs. Enfin, ils furent arrêtés par une grosse branche.

– De là, nous pourrons peut-être regagner la rive, remarqua le navet.

– Il va falloir que vous me tiriez, dit la salade.

– J'ai repris des forces, lui répondit le navet, qui voulait se montrer courageux en présence de la carotte.

Et il plongea. Il ramena la salade et la carotte jusqu'à la rive. Comme il n'y avait pas de potager alentour, ils décidèrent tous les trois de se planter là. La salade s'estima heureuse de ne pas se retrouver seule au bout de cette aventure, et se réjouit de pouvoir vivre en compagnie de ses deux amis. En outre, un jour, un roseau du bord de l'eau qui voulait voir un peu la campagne s'aventura jusqu'à leur plantation et, ma foi, rencontrant la salade, lui fit une déclaration d'amour longue comme le bras. Quant à la carotte, elle eut un peu le mal du pays, mais elle se consola en envoyant des cartes postales à ses parents et à ses sœurs. Au reste, elle était heureuse. Elle s'était mariée avec le navet et, comme un navet et une carotte ne peuvent avoir d'enfants ensemble, dès qu'il eurent fait toutes les démarches nécessaires auprès de la mairie des légumes, ils adoptèrent tous deux de charmants petits pois.

Du même auteur à *l'école des loisirs*

Collection Neuf

L'immangeable petit poucet
Le cochon qui avait peur du soir
La grève des fées
Le jeune homme inutile
Le jour où l'ogre a volé
Le loup, le géant et le distributeur de chewing gums
Le loup qui cherchait sa serviette
Le prince qui cherchait l'amour
La princesse enrhumée
La princesse qui avait le vertige
La princesse qui n'existait pas
La princesse télécommandée
Le roi fait sa valise
La salade maudite
Le vicomte de Tournebroche
Vingt-neuf moutons

Le grand livre de contes